À tous les membres de la famille

L'apprentissage de la lecture est l'un
importantes de la petite enfance. La
pour aider les enfants à devenir des l
Les jeunes lecteurs apprennent à lire s
fréquemment comme « le », « est » et «
phoniques pour décoder de nouveaux interprétant les indices
des illustrations et du texte. Ces livres offrent des histoires que les
enfants aiment et la structure dont ils ont besoin pour lire couramment
et sans aide. Voici des suggestions pour aider votre enfant avant,
pendant et après la lecture.

Avant

Examinez la couverture et les illustrations, et demandez à votre enfant de prédire de quoi on parle dans le livre.

Lisez l'histoire à votre enfant.

Encouragez votre enfant à dire avec vous les formulations et les mots qui lui sont familiers.

Lisez une ligne et demandez à votre enfant de la relire après vous.

Pendant

Demandez à votre enfant de penser à un mot q il ne reconnaît pas tout de suite. Donnez-lui des indices comme : « On va voir si on connaît les sons » et « Est-ce qu'on a déjà lu un mot comme celui-là? ».

Encouragez l'enfant à utiliser ses compétences phoniques pour prononcer d'autres mots.

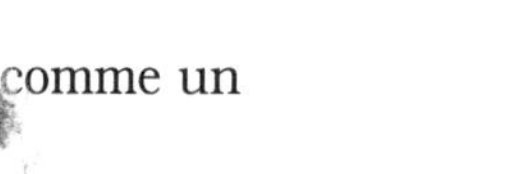

Lorsque l'enfant a besoin d'aide, lisez-lui le qui pose un problème, pour qu'il n'ait pas trop de mal t que l'expérience de la lecture avec les parents soit positive.

Encouragez votre enfant à lire avec expres comme un comédien!

Après

Proposez à votre enfant de dresser une list mots qu'il préfère.

Encouragez votre enfant à relire ses livres. ut les lire à ses frères et sœurs, à ses grands-parents et même à outous. Les lectures répétées donnent confiance au jeune lecte

Parlez des histoires que vous avez lues. Po des questions et répondez à celles de votre enfant. Partagez idées au sujet des personnages et des événements les plus ar ants et les plus intéressants.

J'espère que vous et votre enfant allez aimer c vre.

Franc Alexander,
spécia e en lecture
Groupe des publications
éducati es de Scholastic

À mes filles :
Renata, Michelle, Amanda et Michaela Anne
– E.T.

À Cinda Hoeven,
grâce à qui Michael a appris à lire.
– S.B.

Catalogage avant publication de la Bibliothèque nationale du Canada

Tarbescu, Edith
Où est ma gerbille? / Edith Tarbescu ; illustrations de Steve Björkman ; texte français de France Gladu.

(Je peux lire!. Niveau 4)
Traduction de: Bring back my gerbil!.
Pour enfants de 7 à 9 ans.
ISBN 0-439-97547-6

I. Björkman, Steve II. Gladu, France III. Titre. IV. Collection.

PZ23.T367Ou 2003 j813'.54 C2002-904840-0

Édition publiée par Les éditions Scholastic, 175 Hillmount Road, Markham (Ontario) L6C 1Z7.

5 4 3 2 1 Imprimé au Canada 03 04 05 06

Où est ma gerbille?

Edith Tarbescu
Illustrations de Steve Björkman

Texte français de France Gladu

Je peux lire! — Niveau 4

Les éditions Scholastic

Chapitre 1

Émile trouve mes blagues très drôles. C'est pourquoi il est mon meilleur ami. C'est aussi pour cette raison que je le laisse m'appeler Catou. Tous les autres doivent m'appeler Catherine. Mon deuxième meilleur ami est Victor. Mais lui, il ne rit pas de mes blagues.

Victor est la gerbille d'Émile.
Quand les gens me demandent comment
Victor peut être un meilleur ami, je réponds :
« Les gerbilles aussi ont des sentiments. »
Un jour, notre enseignante nous propose d'apporter quelque chose pour la « leçon de partage ». Je lève la main et je demande si nous pouvons apporter un animal.

— Bien sûr, dit-elle.

Lorsque j'annonce à Émile que je veux lui emprunter Victor, il me demande :

— Pour quoi faire?

Sans même réfléchir, je lance :

— Pour le cloner. Il y aura des quantités de Victor!

— Le multiplier? PAS QUESTION! répond Émile. Victor est unique et je l'aime comme ça!

Je m'empresse de rassurer Émile.
— C'était une blague, voyons. Nous ne saurions pas comment le cloner, de toute façon!
Émile me dévisage derrière ses lunettes. Finalement, il me dit :
— Tu promets de bien prendre soin de lui?
— C'est promis, dis-je. Allons chez toi nettoyer sa cage. Demain sera un grand jour pour Victor.

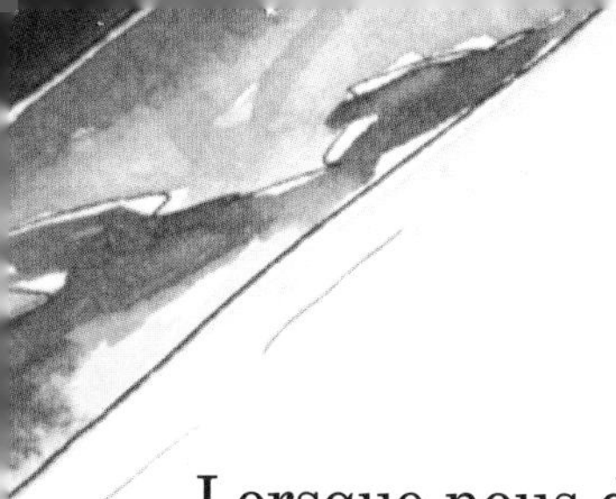

Lorsque nous descendons de l'autobus, deux garçons plus âgés se moquent des lunettes d'Émile.

— Si seulement j'avais un chien! Il aboierait après eux! soupire Émile.

Je suggère :

— On pourrait peut-être donner quelque chose à Victor qui le transformerait en un gros chien.

Émile me regarde d'un air plein d'espoir.

— Mais non, c'est impossible, dis-je.

Chapitre 2

Nous essayons quand même. Nous essayons tout. Mais Victor continue de tourner dans sa roue sans regarder la nourriture que nous lui offrons.

— Attends-moi ici, dis-je à Émile. Je reviens tout de suite.

Je cours chez moi, juste à côté, et me précipite dans la cuisine. Je prends un verre et le remplis à moitié d'eau. Puis je fouille dans l'armoire et trouve de l'extrait d'amande et de vanille. J'en verse dans l'eau et j'ajoute du colorant alimentaire vert que ma mère utilise pour décorer ses biscuits.

Je brasse le tout en pensant : « Voilà une super potion magique! »
Je reviens chez Émile et nous versons le mélange dans la bouteille de Victor. Je répète sans cesse « Abracadabra » pendant que Victor boit.
— Est-ce que tu essaies de l'empoisonner? s'écrie Émile.
— Bien sûr que non! dis-je.
— Oublie tout ça, reprend Émile. J'aime Victor comme il est, un point c'est tout.

Je glisse le verre vide dans ma poche en faisant remarquer à Émile :

— C'était ton idée!

Il se retourne et me fixe dans les yeux :

— Non, c'était la tienne!

C'est notre première chicane.

Je n'arrête pas de dire : « C'était ton idée! »

Il continue de répondre : « Non! C'était la tienne! »

En reculant, Émile heurte la cage de Victor et la fait tomber.
L'instant d'après, Victor a disparu.
— Oh, non! s'exclame Émile. Regarde ce que tu as fait! Tu sais que ma mère est allergique au poil. Elle va me réduire en bouillie si elle apprend que Victor s'est sauvé!

— Mais non, dis-je. Quand elle se mettra à éternuer, nous saurons où Victor se trouve.

— C'est ça! riposte Émile. Et quand elle se mettra à éternuer, elle m'obligera à me débarrasser de Victor.

— Je vais t'aider à le retrouver, dis-je.
Je me mets à quatre pattes et j'appelle :
— Ici, Victor, ici!
— Ce n'est pas un chien, dit Émile. Il ne vient pas quand on l'appelle.
— Si tu l'avais dressé, il viendrait peut-être! dis-je.
— Une gerbille, ça ne se dresse pas! tranche Émile.

Chapitre 3

Nous rampons un peu partout jusqu'à ce que nous tombions sur quelque chose qui se balade à quatre pattes et qui est nettement plus gros qu'une gerbille.

L'animal est roux, tacheté de blanc. Il a un peu de noir sur les oreilles et une toute petite queue qui se dresse comme un manche à balai. On dirait un chien!

— Tu penses que c'est Victor? murmure Émile.

Je reste muette, les yeux fixés sur le chien.

— Il ressemble à Victor comme deux gouttes d'eau! s'écrie Émile. Il est de la même couleur. Et il a aussi du noir sur les oreilles!

— C’est ridicule, dis-je. Il s’agit sûrement d’un chien perdu.
— Un chien perdu? Dans ma maison? s’exclame Émile. Explique-moi donc comment il est entré!

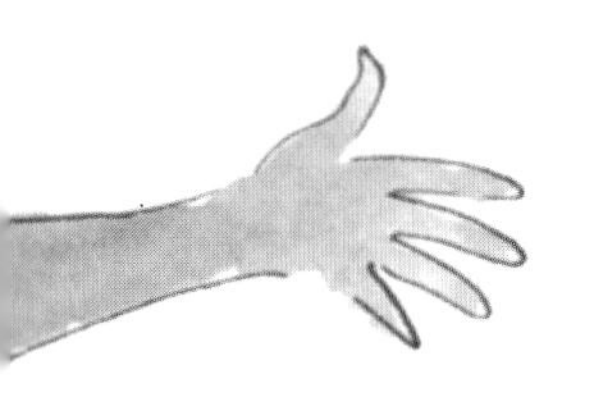

J’avoue que c’est une bonne question.
— Eh bien… la porte d’entrée est peut-être restée ouverte. Allons voir!
Nous traversons la cuisine en trombe et courons vers la porte d’entrée. Elle est verrouillée!

— Je ne reverrai plus jamais Victor, se lamente Émile.

J'ôte mon serre-tête. Il faut que je réfléchisse.

— Dépêchons-nous de faire entrer ce chien dans ta chambre et de fermer la porte avant qu'il se mette à aboyer, dis-je. Ta mère pourrait l'entendre!

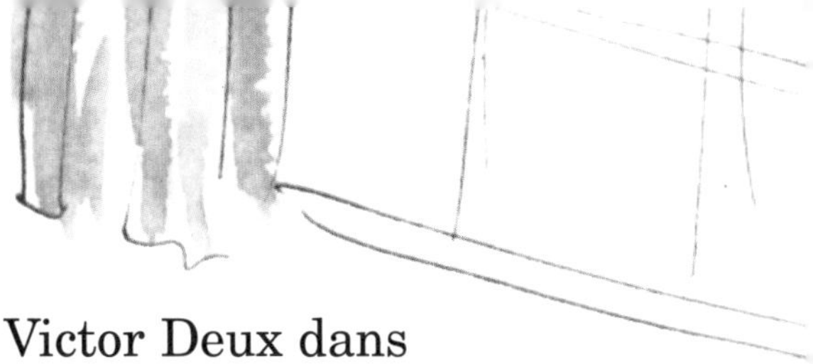

Nous emmenons donc Victor Deux dans
la chambre d'Émile.
— Il faut trouver un moyen de le
retransformer en gerbille, dis-je.
Une fois la porte fermée, Émile demande :
— Comment cet animal peut-il être Victor
Deux? Victor Un est une gerbille,
et ça, c'est un chien!

— Je sais, dis-je. Mais regarde-le. Il ressemble à Victor. Tu l'admets toi-même.

Le visage d'Émile devient rouge.

— Eh bien, alors, donne à ce chien ce que tu as fait boire à Victor et retransforme-le en gerbille! bougonne-t-il.

Je parcours la chambre du regard, à court d'idées.
— Il n'en reste plus, dis-je en tripotant le verre vide dans ma poche. Je vais téléphoner à mon père et lui demander conseil.

Chapitre 4

— Non, attends! s'écrie Émile. On voit souvent des affiches au sujet des chats et des chiens perdus!

Bonne idée! Nous fabriquons une affiche avec une grande feuille de papier dénichée dans le placard d'Émile. « TROUVÉ! Beau chien au poil roux et blanc. Communiquer avec Catherine. »

Nous indiquons mon numéro de téléphone sur l'affiche et nous la clouons à un poteau devant chez moi. Puis nous rentrons chez Émile et continuons de chercher Victor.

— Mais qu'est-ce que tu lui as donné à boire? insiste encore Émile.

— Je te l'ai dit. Ce n'était que de l'eau... avec un peu de colorant. Je voulais faire une blague.

— Elle était vraiment drôle, celle-là! grogne Émile.

Les yeux baissés, je me mords la lèvre.
— Je crois que nous devrions donner un nom à ce chien, dis-je pour changer de sujet.

Je propose de l'appeler « Vic ». Émile trouve ce nom triste. Il lui rappelle sa gerbille.

Finalement, nous appelons le chien « Oscar ». Bien entendu, il ne répond pas à ce nom. Mais nous commençons à le lui apprendre. Nous utilisons une balle en guise de récompense. Oscar est intelligent. Il apprend vite! Lorsqu'il est l'heure de rentrer à la maison, je l'emmène avec moi.

Chapitre 5

Quand j'arrive chez moi, ma sœur Julie est la première à apercevoir Oscar. C'est le coup de foudre! Elle propose de m'échanger Oscar contre deux de ses animaux en peluche.

— Tu me prends pour une idiote, ou quoi! dis-je. De toute façon, ce chien n'est pas à moi.

Ensuite, c'est au tour de ma mère de tomber sur Oscar.

— Mais qu'est-ce que c'est que ça? demande-t-elle.

— C'est Oscar, dis-je. Il appartient à Émile.

Maman s'étonne :

— Je croyais que sa mère était allergique au poil. Est-ce qu'ils n'ont pas choisi une gerbille pour qu'Émile puisse la garder dans sa chambre?

— Ouais, dis-je.

Je n'essaie même pas de raconter ce qui s'est passé. J'attends plutôt que mon père arrive. Je me dis qu'il comprendra, puisqu'il travaille dans un laboratoire. Durant le souper, j'explique à tout le monde :

— Voyez-vous, Émile et moi, nous avons fait une expérience et sa gerbille a été transformée en chien...

Julie manque de s'étrangler avec sa gorgée de lait. Ma mère laisse la soupe lui dégouliner sur le menton. Seul mon père garde son calme.

— Qu'est-ce que tu lui as fait avaler? demande-t-il.

Je marmonne :

— De l'eau…

Et je m'apprête à lui dire que j'ai ajouté de la vanille, de l'extrait d'amande et du colorant vert lorsque le téléphone sonne.

Mon père répond. Il écoute un moment, puis dit :
— Un instant, s'il vous plaît.
Au bout du fil, une femme dit chercher un chien qui répond au nom de Pistache. J'appelle Oscar par ce nom, mais il ne se retourne pas. Papa invite tout de même la femme à passer voir le chien.

La sonnerie du téléphone retentit encore deux fois et la même chose se produit. Peu de temps après, trois étrangers se trouvent dans notre salon. Ils sont tous venus pour voir Oscar… enfin, peu importe son nom.

Chapitre 6

Après le départ des trois étrangers, une grande fille blonde arrive. Elle regarde le chien et crie :

— Kimo!

Oscar s'élance vers elle.

— Kimo, tu m'as tellement manqué!

La jeune fille se penche. Elle serre Oscar dans ses bras et l'embrasse.

Elle se tourne vers moi et sourit.
— Merci d'avoir pris soin de Kimo, dit-elle. Tu pourras venir jouer avec lui quand tu voudras si tes parents sont d'accord.
— C'est vrai? dis-je.
— Les amis de Kimo sont mes amis! déclare-t-elle.
Elle me donne son numéro de téléphone, puis elle emmène Kimo. Je cours raconter la nouvelle à Émile.

Lorsque j'arrive dans la chambre d'Émile,
j'aperçois une petite boule de poil sur son lit.
C'est Victor!
Je m'empresse de demander :
— Mais où l'as-tu trouvé?
— Il s'était blotti au fond de mon placard,
dit Émile. Où est Oscar?

Je lui raconte l'histoire de Kimo et de sa propriétaire. Émile me dit qu'il a quelque chose à me raconter, lui aussi.

— Tu te souviens, quand nous avons vérifié la porte avant? Eh bien, tu es remontée dans ma chambre tout de suite après. Mais moi, je suis allé voir la porte arrière et elle était ouverte.

Je m'écrie :

— Et tu ne me l'as pas dit?

— Je voulais te jouer un tour, avoue Émile.

— C'était méchant, dis-je. Je ne te ferais jamais une chose pareille.

— Ah non? Et quand tu as voulu me faire croire que tu avais transformé Victor en chien? riposte-t-il.

Je me défends :

— Ce n'était pas la même chose!

Émile reste silencieux un moment, puis il dit :

— Tu peux emmener Victor à l'école aussi souvent que tu le voudras... À la condition de ne pas le cloner.

— Je ne sais pas comment cloner les animaux. Je suis seulement en troisième année, comme toi, dis-je.

Le lendemain, c'est à mon tour de présenter la « leçon de partage ». Je lève bien haut la cage de Victor et je dis :
— Devinez quoi? Hier, cette gerbille était un chien!